100まんびきのねこ

ワンダ・ガアグ　ぶん　え
いしい　ももこ　やく

福音館書店発行

" MILLIONS OF CATS "

by

WANDA GÁG

Originally copyrighted in 1928 by COWARD McCANN, INC., New York.

Copyrighted and published in Japan by FUKUINKAN-SHOTEN, INC., by arrangements with COWARD McCANN, INC., New York.

Printed in Japan

100まんびきのねこ

むかし、あるところに、とても

としとった おじいさんと、

とても としとった

おばあさんが すんでいました。

ふたりは、こぢんまりした

きれいな いえに すんでいました。そして、

いえの まわりには、ぐるっと はなが

さいていました。それでも、おじいさんと、

おばあさんは、しあわせでは ありませんでした。

ふたりは、とても さびしかったのです。

たいいきをつく - sigh
とってきてやる - do me a favor (?)

「うちに、ねこが 一ぴき いたらねえ」と、とても としとった

おばあさんは ためいきをつきながら いいました。

「ねこかね?」 とても としとった おじいさんが ききました。

「ええ、かわいい ちいさい ふわふわした ねこですよ」と、

おばあさんが いいました。

「それでは おまえ、わたしが、ねこを 一ぴき とってきて

やろうよ」と、おじいさんは いいました。

そうして、おじいさんは、おかを　こえて、ねこを　さがしに
でかけました。おじいさんは、ひのあたる　おかを　こえて　いきました。
すずしい　たにまも　とおって　いきました。そして、ながい　ながい
あいだ　あるいて、とうとう、どこも　ここも、ねこで　いっぱいに
なっている　おかに　でました。

そこにも　ねこ、あそこにも　ねこ、

どこにも、かしこにも、ねこと　こねこ、

ひゃっぴきの　ねこ、

せんびきの　ねこ、

ひゃくまんびき、一おく　一ちょうひきの　ねこ。

「ああ、よかった！」と、おじいさんは、
よろこんで いいました。
「さあ これで、このなかから、
いちばん きれいな ねこを
えらんで つれてかえれば
いいんだ」

　そこで おじいさんは、
なかから 一ぴきの ねこを
ひろいあげました。
しろい ねこでした。
　ところが、おじいさんが
かえろうとすると、
また もう一ぴき、
しろくろの ねこが、
めにつきました。そして、
これも、まえのに まけないくらい
かわいい ねこです。そこで、おじいさんは、
それも ひろいあげました。

すると、すこし　さきに、また　もう一ぴき、
ふわふわした　はいいろの
ねこが、めにつきました。
そして、これも
まえの　二ひきと、
まったく　おなじくらい
かわいいのです。そこで
おじいさんは、これも
ひろいました。
　すると、こんどは、
ずっと　むこうの
すみに　いるのも、
とても　かわいくて、
おじいさんは、おいて
いくのが　おしくて
たまらなくなりました。
そこで　これも　ひろいました。

　すると、ちょうど　このとき、
ちょっと　むこうに、まっくろい　ねこが
いるのに　きがつきました。それも、
とても　きれいな　ねこでした。
「これは、のこしては　いけないな」と、
とても　としとった　おじいさんは
いって、それも　ひろいました。

　ところが、こんどは、あっちに
もう一ぴき、ちゃいろと　きいろの
しまの　とらのこのような
ねこが　います。
「これは、どうしても　つれて
いかなくては　ならないぞ！」
　とても　としとった　おじいさんは、
おおきな　こえで　こういって、
これも　ひろいました。

このようにして、おじいさんは、あたりを
みまわすたびに、きれいな　ねこが　みつかって、
おいていくことが　できなくなりました。
そして、しらないまに、
そこにいる　ねこを　みんな　ひろいあげて、
つれていくことに　なってしまいました。

　さて、それから　おじいさんは、この　たくさんの　ねこを
つれて、ひのあたる　おかを　こえ、すずしい　たにまを
とおって、おばあさんの　ところに　かえることに　なりました。
　なんびゃくも、なんぜんも、なんまんも、なんびゃくまんもの
ねこを、ぞろぞろ　つれて、おじいさんと　ねこの
だいぎょうれつです。

WANDA GÁG

とちゅうで、いけの　そばを　とおりかかりました。
「にゃお、にゃお、のどが　かわいたよ」と、
ひゃっぴきの　ねこ、
せんびきの　ねこ、
ひゃくまんびき、一おく　一ちょうひきの　ねこが　いいました。

「そうかい、それでは　ここに　たくさん　みずが　あるよ」と、
とても　としとつた　おじいさんは　いいました。
　どの　ねこも、どの　ねこも、ぴちゃ　ぴちゃと、ひとなめずつ、
みずを　なめました。すると　いけのみずは、すっかり
なくなってしまいました。

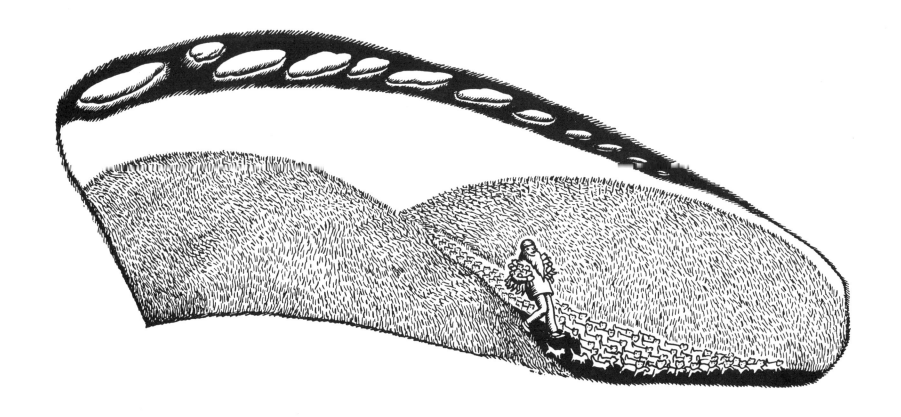

「にゃお、にゃお、こんどは、おなかがへった！」と、
ひゃっぴきの　ねこ、
せんびきの　ねこ、
ひゃくまんびき、一おく　一ちょうひきの　ねこが、いいました。

「それでは、そこらに　くさが　たくさん　あるよ」と、
とても　としとった　おじいさんは　いいました。
　そこで、どの　ねこも、どの　ねこも、ひとくちずつ
くさを　たべました。すると、のはらじゅうの　くさが、
一ぽんも　なくなってしまいました。

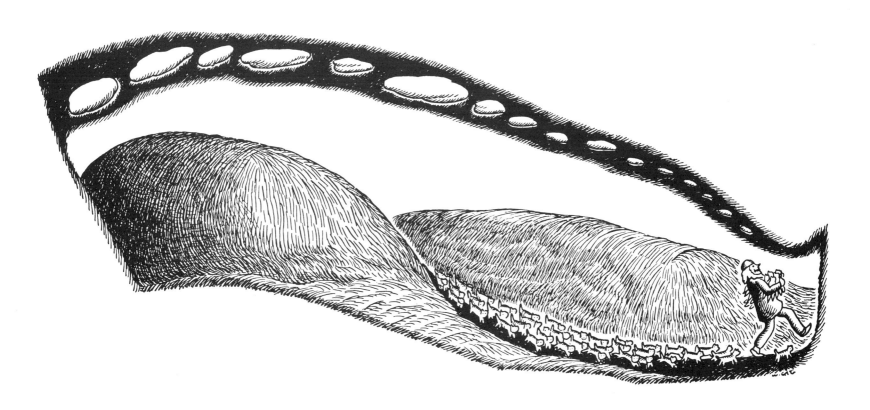

　　いっぽう、こちらは、とても　としとった　おばあさんです。
おじいさんの　かえりを　まっていると、やがて　むこうから
たくさんの　ねこが　やってくるのが　みえました。
「おや　おや、おまえさん！」と、おばあさんは　いいました。
「これは、いったい、どうしたのです？　わたしは　ねこが
一ぴき　ほしいと　いったのに、これは　なんですか」

そこにも　ねこ、あそこにも　ねこ、
どこにも、かしこにも、ねこと　こねこ、
　　　ひゃっぴきの　ねこ、
　　　　せんびきの　ねこ、
ひゃくまんびき、一おく　一ちょうひきの　ねこ。

「こんなに　たくさんの　ねこに、ごはんは　やれませんよ」と、おばあさんは
いいました。「この　ねこたちに、ごはんを　やっていたら、わたしたちは、
びんぼうになって、うちも　なにも　なくなってしまいますよ」
「ああ、それには　きがつかなかった」と、おじいさんが　いいました。
「どうしたら　いいだろう」
　おばあさんは、しばらく　かんがえました。そして　いいました。
「わかりましたよ！　どの　ねこを　うちに　おくか、ねこたちに
きめさせましょう」
「それが　いい」と、おじいさんは　いって、ねこたちに　ききました。
「おまえたちの　なかで、だれが　いちばん　きれいな　ねこだね？」
「わたしです！」　　　「ぼくです！」　　　「いいえ、わたしです！」
「ぼくが　いちばん　きれいです！」　　　「わたしです！」
「いいえ、ぼくです！　ぼくです！　ぼくです！」と、ひゃっぴきの　ねこ、
せんびきの　ねこ、ひゃくまんびきの　ねこ、一おく　一ちょうひきの　ねこが、
いいました。どの　ねこも、みんな　じぶんが　いちばん　きれいだと
おもって　いたのです。

そして、ねこたちは、けんかを　はじめました。

それから　ねこたちは、おいかけたり、くいついたり、
ひっかいたりして、それは　それは、たいへんな
さわぎに　なりました。
　おじいさんと　おばあさんは、
おおいそぎで　いえへ
にげこみました。
おじいさんたちは、そんな
けんかは　だいきらいでした。
　ところが、すこしたつと、
そとの　おおさわぎが
きこえなくなりました。
おじいさんと　おばあさんは、
どうしたんだろうと　おもって、
まどから　そとを
のぞいてみました。
　すると、ねこが　一ぴきも
いなくなっていました。

「きっと、みんなで
たべっこして
しまったんですよ」と、
おばあさんは　いいました。
「おしいことを　しましたねえ」
「でも、ごらんよ」と、
おじいさんが　くさの　ながく
のびている　ところを　ゆびさして、
いいました。くさの　あいだに　ちいさな
ねこが一ぴき、さも　こわそうに　すわって
いたのです。おじいさんと　おばあさんは、
でていって、そのねこを　だきあげました。
ほねと　かわばかりに　やせこけた　ねこでした。

「まあまあ、かわいそうに」と、とても　としとった　おじいさんが　いいました。
「おまえは、どうして　ひゃっぴきの　ねこ、せんびきの　ねこ、ひゃくまんびき、
一おく　一ちょうひきの　ねこと　いっしょに、
たべられてしまわなかったのだね？」
「はい、でも、わたしは　ただの　みっともない　ねこでございます」と、
こねこは　いいました。「だから、あなたが、どの　ねこが　いちばん　きれいかと、
おききになったとき、わたしは　なにも　いいませんでした。だから、だれも
わたしには　かまいませんでした」

　おじいさんと　おばあさんは、その　こねこを　うちのなかへ　つれて
いきました。それから　おばあさんが、ねこを　おゆで　あらって、よく
こすってやると、ねこの　けは、やわらかく　ふわふわに　なりました。

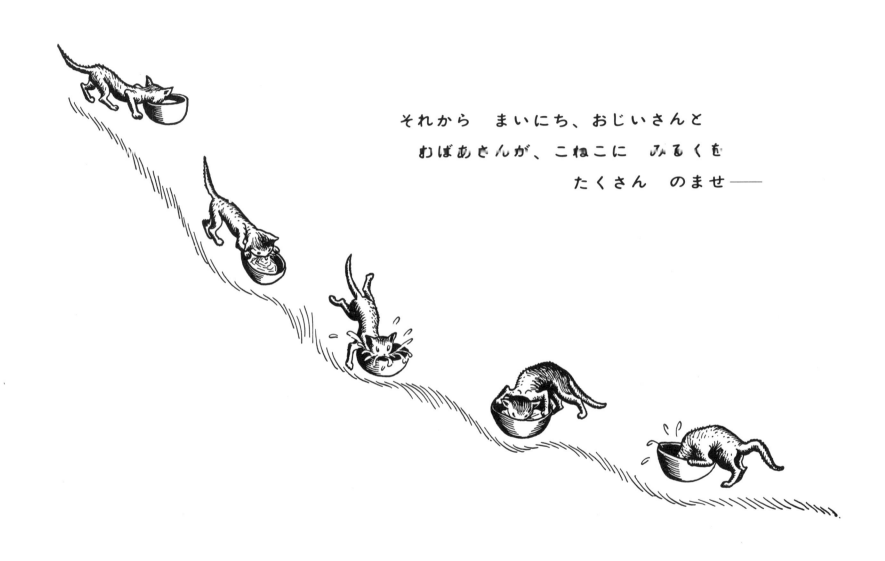

それから　まいにち、おじいさんと
おばあさんが、こねこに　みるくを
　　　　　たくさん　のませ──

——ましたら、こねこは　まもなく、
かわいらしい　まるまるとした
ねこに　なりました。

「この　ねこは、やっぱり　とても　きれいですよ！」と、
とても　としとった　おばあさんが　いいました。
　そこで　とても　としとった　おじいさんは
「いや、この　ねこは、せかいじゅうで　いちばん　きれいな
ねこだよ。わたしには、ちゃんと　わかるんだ。だって　わたしは、
　　　　　　ひゃっぴきの　ねこ、
　　　　　　せんびきの　ねこ、
ひゃくまんびき、一おく　一ちょうひきの　ねこを
みてきたんだからねえ」と、いいました。

NDC 933　31p　20×23cm　ISBN4-8340-0002-8

1961年1月1日発行／発行所　**福音館書店**　113 東京都文京区本駒込6-6-3／印刷　精 興 社／製本　多田製本

1985年12月15日　第42刷　　電話　営業部 03(942)1226／編集部 03(942)2081